MAIS ESPERTO QUE O DIABO

VERSÃO CONCISA E EDITADA

NAPOLEON HILL

DIAMANTE
DE BOLSO

Título original: *Outwitting the Devil*

Mais esperto que o Diabo – Versão de bolso

13ª edição: Maio 2025

Autor:
Napoleon Hill

Tradução:
M. Conte Jr.

Preparação de texto:
Lúcia Brito

Revisão:
3GB Consulting

Projeto gráfico:
Dharana Rivas

Impressão:
Plena Print

DADOS INTERNACIONAIS DE CATALOGAÇÃO NA PUBLICAÇÃO (CIP)

H647m Hill, Napoleon.

Mais esperto que o Diabo / Napoleon Hill. – Porto Alegre: CDG, 2019.

ISBN: 978-85-68014-93-6

1. Desenvolvimento pessoal. 2. Motivação. 3. Sucesso pessoal. 4. Autoajuda. I. Título.

CDD - 131.3

Produção editorial e distribuição:

CITADEL Grupo Editorial

contato@citadel.com.br
www.citadel.com.br

Diamante de Bolso

A coleção Diamante de Bolso apresenta os clássicos de Napoleon Hill em versão concisa. Os títulos do catálogo da Citadel Editora foram cuidadosamente lapidados para oferecer facetas cintilantes da obra original.

Este diamante é uma pequena gema para estimular a leitura do livro na íntegra. Uma joia para acompanhar o leitor no dia a dia, como lembrete ou fonte de inspiração.

Aproveite!

"Medo é a ferramenta de um diabo idealizado pelo homem. A fé inabalável em si mesmo é tanto a arma que derrota esse diabo quanto a ferramenta que o homem utiliza para construir uma vida de sucesso. E mais que isso: é uma conexão direta com as forças irresistíveis do universo que apoiam o homem que não acredita em fracassos e derrotas senão como experiências meramente temporárias."

Napoleon Hill

SUMÁRIO

UMA ESTRANHA ENTREVISTA COM O DIABO

Vamos analisar brevemente esta estranha entrevista que você está prestes a ler. Alguns irão perguntar: "Você entrevistou o Diabo ou trata-se de um diabo imaginário?".

Responderei da única maneira possível: o diabo que entrevistei pode ser real como ele dizia ser ou pode ser obra da minha imaginação. Pouco importa. A pergunta realmente importante é: a entrevista contém informação útil? Caso contenha, não importa se é fato ou ficção.

Acredito que a entrevista contém informações de benefício prático, e a razão pela qual acredito nisso é que tive experiências suficientes com os princípios mencionados pelo Diabo para assegurar que funcionam exatamente como ele diz que funcionam.

E, se você quer minha honesta opinião, acredito que o Diabo seja realmente quem ele diz ser.

Pergunta – Descobri o código secreto pelo qual obtive acesso a seus pensamentos. Vou fazer perguntas simples. Exijo respostas diretas e verdadeiras. Está pronto para a entrevista, Sr. Diabo?

Resposta – Sim, estou pronto. Mas você se dirigirá a mim somente como Vossa Majestade.

P – Com que direito você exige tal tratamento?

R – Você deve saber que controlo 98% das pessoas do seu mundo. Não acha que isso é motivo suficiente para me conferir um título de realeza?

P – Comece me contando onde mora e descreva a sua aparência física.

R – Aparência física? Não tenho um corpo físico. Não sou uma besta com um garfo e um rabo pontudo. Consisto em energia negativa. Ocupo metade de cada átomo da matéria física e de cada unidade de energia mental e física.

P – Se Vossa Majestade ocupa somente metade da energia e da matéria, quem ocupa a outra metade?

R – A outra metade é ocupada pela minha oposição, o que vocês chamam de Deus. Represento o lado negativo de tudo, incluindo os pensamentos negativos de vocês, humanos. Minha oposição controla o aspecto positivo.

P – Vossa Majestade deve dispor de muitas ferramentas para acessar a mente humana. Descreva-as.

R – Um de meus instrumentos mais astutos é o medo. Planto sementes de medo, que crescem com pensamentos negativos. Os seis medos mais efetivos são o medo da pobreza, da crítica, da perda da saúde, da perda do amor, da velhice e da morte.

P – Conte mais sobre o mundo em que habita.

R – Tempo e espaço não existem para mim. Sou energia. Meu lugar favorito é a mente das pessoas. A quantidade de espaço que ocupo na mente depende do tipo de pensamento do indivíduo.

P – E quanto a sua oposição?

R – Meu oponente controla todas as forças positivas do mundo, como o amor, a fé, a esperança e o otimismo, e de todas as leis naturais do universo. Entretanto, essas forças são ínfimas em comparação às que operam na mente humana sob o meu controle. Não tenho intenção de controlar estrelas e planetas. Prefiro controlar mentes humanas.

P – Como Vossa Majestade adquiriu força e de que maneira a mantém?

R – Me apropriando do poder da mente dos humanos. Minha maior arma é a pobreza. A pobreza tira dos homens a capacidade de pensar e os torna uma presa fácil para mim. Outra grande arma é a doença. Um corpo doente desencoraja o pensamento.

ALIENAÇÃO

P – Diga qual é o seu truque mais inteligente para capturar pessoas.

R – Minha arma mais poderosa é o hábito da alienação. Quando uma pessoa começa a se alienar, dirige-se para as portas do que vocês chamam de inferno.

P – Defina "alienação".

R – Alienação é se deixar influenciar e controlar por circunstâncias externas à própria mente. O alienado é muito preguiçoso para usar o próprio cérebro. Por isso consigo assumir o controle de seus pensamentos.

P – Comece contando como e quando Vossa Majestade adquire o controle de um ser humano.

R – Meu controle inicia-se na juventude. Algumas vezes lanço as bases antes de a pessoa ter nascido, manipulando a mente de seus pais. Algumas vezes ajudo a trazer as pessoas ao seu mundo com mente fraca, fornecendo a elas as fraquezas de seus ancestrais.

Vocês chamam esse princípio de "hereditariedade física". Após o nascimento, uso o que vocês chamam de "ambiente" e o princípio do hábito. Entro na mente e estabeleço hábitos que levam à dominação.

P – Quais os hábitos mais comuns pelos quais Vossa Majestade controla a mente das pessoas?

R – Os mais úteis para mim são medo, superstição, avareza, ganância, luxúria, vingança, raiva, vaidade e preguiça. Por meio de um ou mais destes, consigo entrar em qualquer mente de qualquer idade, mas obtenho melhores resultados em uma mente ainda jovem, antes que seu "proprietário" tenha aprendido a fechar alguma dessas portas. Então estabeleço hábitos que mantêm essas portas abertas para sempre.

P – Vamos voltar à alienação, o seu melhor truque.

R – Como já disse, faço com que as pessoas comecem a se alienar na juventude. Eu as induzo a se alienar na escola, sem saberem que ocupação desejam seguir na vida. Ali eu pego a maioria. Pais, professores, instrutores religiosos e muitos outros adultos, sem consciência disso, servem à minha causa ajudando a destruir o hábito de as crianças pensarem por si.

P – Sempre achei que os melhores amigos das crianças fossem os pais, professores e instrutores.

R – É aí que entra a minha sabedoria. Por isso controlo 98% das pessoas do mundo. Assumo o controle durante sua juventude, usando os responsáveis, especialmente os que ministram instrução religiosa. Com a ajuda deles, acabo com o pensamento independente e também planto na mente das crianças o maior de todos os medos – o medo do inferno.

P – Mas como consegue fazer com que as pessoas continuem a temer Vossa Majestade e o inferno após tornarem-se adultas e pensarem por si?

R – Os seres humanos crescem, mas nem sempre aprendem a pensar por si. Uma vez que eu consiga capturar a mente de uma criança pelo medo, enfraqueço sua habilidade de pensar racionalmente e por si. E essa fraqueza ela carrega por toda a vida.

P – Como os pais ajudam os líderes religiosos a destruir o poder das crianças de pensar por si?

R – Faço com que os pais ensinem seus filhos a acreditar neles e em suas ideias sobre todos os assuntos importantes, tais como religião, política e casamento. Quando adquiro o controle da mente de uma pessoa, consigo perpetuar tal controle ao fazer com que ela me ajude a conquistar a mente de seus filhos.

P – De que outras formas você usa os pais para transformar os filhos em alienados?

R – Faço com que as crianças sigam o exemplo de seus pais. Às vezes conquisto a mente das crianças e subjugo sua força de vontade da mesma maneira como os homens domesticam animais. Não faz diferença para mim de que forma a vontade de uma criança é subjugada, contanto que ela tenha algum tipo de medo. Entro na mente por meio do medo e limito seu poder de pensar de forma independente.

P – Parece que Vossa Majestade faz qualquer coisa para que as pessoas não pensem.

R – Não me importo que as pessoas pensem, desde que pensem com foco no medo, no desencorajamento, no desespero e na destruição. Quando pensam de forma construtiva, em termos de fé, coragem, esperança e propósitos definidos, tornam-se aliadas da minha oposição, e eu as perco.

P – Não vejo como professores possam ajudá-lo.

R – Os professores me ajudam não tanto pelo que ensinam, mas muito mais pelo que não ensinam.

O sistema escolar ensina quase tudo, exceto como usar a mente para pensar de forma independente.

P – Tinha a impressão de que o objetivo das escolas era ajudar as crianças a pensar.

R – Esse pode ser o objetivo, mas muitas escolas do mundo não conseguem atingi-lo. Os alunos não são ensinados a desenvolver e usar a própria mente, mas sim a adotar e usar os pensamentos de outros. Isso destrói a capacidade de pensamento independente.

P – Sua oposição não consegue resgatar aqueles fisgados pelo hábito da alienação?

R – Nada pode me deter de controlar as pessoas, exceto elas mesmas. Nada pode me parar, exceto o poder do pensamento apurado. Pessoas que pensam de forma apurada não se alienam. Reconhecem e assumem o poder da própria mente e não permitem que nada nem ninguém as influenciem.

P – Conte mais sobre seus métodos de alienação.

R – Faço com que os seres humanos se alienem em todos os assuntos. Por exemplo:

- SAÚDE: faço com que a maioria coma em excesso e o tipo errado de alimento. Isso leva à indigestão e à obesidade e destrói o poder do pensamento apurado. Se ensinassem as crianças a se alimentar, haveria um dano irreparável à minha causa.
- CASAMENTO: faço com que homens e mulheres se alienem no casamento sem planos ou objetivos para manter o relacionamento em harmonia. Faço com que discutam e briguem sobre assuntos financeiros e sobre a forma de educar os filhos. Faço com que entrem em controvérsias sobre assuntos íntimos, amigos e atividades sociais. Mantenho os casados tão ocupados procurando falhas um no outro que nunca têm tempo para fazer qualquer coisa que quebre o hábito da alienação.

- PROFISSÃO: faço com que as pessoas abandonem a escola para pegar o primeiro emprego que apareça, sem plano ou objetivo definido, sem meta ou propósito, exceto a sobrevivência. Assim mantenho milhões de pessoas tomadas pelo medo da pobreza durante toda a vida. Com esse medo, eu as guio até o ponto em que não conseguem quebrar o hábito da alienação.
- POUPANÇA: faço com que as pessoas gastem deliberadamente e que economizem o mínimo ou nada, até tê-las totalmente sob controle pelo medo da pobreza.
- AMBIENTE: faço com que as pessoas se alienem em ambientes desarmoniosos e desagradáveis no lar, no local de trabalho, nos relacionamentos com parentes e desconhecidos e faço com que permaneçam nesses ambientes até tê-las sob controle pelo hábito da alienação.

- PENSAMENTOS DOMINANTES: faço com que as pessoas sucumbam ao hábito de pensar negativamente. Planto as sementes do pensamento negativo a partir do púlpito das igrejas, dos jornais, dos filmes, do rádio e de todos os outros veículos de mídia. Faço com que as pessoas me deixem tomar conta de seus pensamentos por preguiça ou indiferença quanto a pensar por si.

P – Pelo que Vossa Majestade diz, concluo que alienação e procrastinação são a mesma coisa.

R – Sim, é verdade. Qualquer hábito que leve uma pessoa a procrastinar conduz ao hábito da alienação.

P – O homem é a única criatura que se aliena?

R – Sim. Todas as outras criaturas movem-se de acordo com leis definidas pela natureza. O homem desafia as leis da natureza e aliena-se quando quer.

P – O que Vossa Majestade está dizendo me leva à conclusão de que se alienar é uma fraqueza que inevitavelmente acaba em fracasso.

R – Alienar-se é a causa mais comum de fracasso. Consigo controlar qualquer um que eu induza ao hábito da alienação, seja qual for a área de atuação. As razões para isso são duas. Primeira: o alienado fica tão vulnerável que consigo moldá-lo na forma que eu escolher, pois a alienação destrói a iniciativa individual. Segunda: o alienado não consegue buscar ajuda da minha oposição porque minha oposição não é atraída por nada que seja mole e inútil.

P – É por isso que poucas pessoas são ricas, enquanto a maioria é pobre?

R – Exatamente. A pobreza, tal como a doença, é contagiosa. Você sempre vai encontrar a pobreza entre os alienados, nunca entre aqueles que sabem o que querem e estão determinados a conseguir. Os que nunca se alienam, que são os que eu não controlo, possuem as maiores riquezas desse mundo.

P – Sempre entendi que o dinheiro era a raiz do mal, que os pobres e desafortunados herdariam o céu, enquanto os ricos acabariam em suas mãos.

R – Os homens que sabem como conseguir coisas materiais geralmente também sabem como se manter longe das minhas mãos. A habilidade de adquirir coisas é contagiosa. Os alienados não adquirem nada, exceto aquilo que ninguém quer. Se mais pessoas tivessem metas definidas e desejo ardente por riquezas materiais e espirituais, eu teria menos vítimas.

P – Quem são alguns dos não alienados nos dias de hoje sobre os quais Vossa Majestade tem controle?

R – Não tenho controle sobre nenhum não alienado, seja nos dias de hoje, seja no passado. Eu controlo os fracos, não aqueles que pensam por si.

P – Descreva um típico alienado.

R – A primeira coisa que você notará em um alienado é a total falta de propósito na vida. A falta de autoconfiança será evidente. Ele nunca conquista nada por meio do pensamento e do esforço. Gasta tudo o que ganha e gasta ainda mais se consegue crédito. Fica doente ou debilitado por causas reais ou imaginárias e clama aos céus ao sofrer a menor dor física. Tem pouca ou nenhuma imaginação. Não tem entusiasmo nem iniciativa para começar qualquer coisa que não seja forçado a fazer e expressa claramente sua fraqueza pegando atalhos em tudo que puder. Tem um temperamento explosivo e total falta de controle sobre as emoções. Sua personalidade é desprovida de magnetismo e não atrai os outros. Tem muitas opiniões sobre muitas coisas, mas nenhum tipo de conhecimento apurado sobre nada. Normalmente diz saber tudo de tudo, mas não é bom em nada. Nega-se a cooperar com os outros, mesmo que dependam de seu trabalho para comida e abrigo. Comete os mesmos erros várias e várias vezes, nunca tirando proveito do fracasso. Tem uma mente limitada e intolerante em todos os aspectos, está sempre pronto a crucificar todos que estiverem em desacordo com ele. Espera tudo dos outros, mas está disposto a dar pouco ou nada em troca. Começa várias coisas, mas não termina nada. É taxativo na condenação do governo, mas nunca diz como este poderia ser melhorado. Nunca toma decisões sobre nada se puder evitar; se for forçado a decidir, tem grande possibilidade de reverter as decisões na primeira oportunidade. Come muito e se exercita muito pouco. Bebe álcool se alguém pagar para ele. Aposta muito. Critica aqueles bem-sucedidos em suas carreiras. Em poucas palavras, o alienado trabalha duro para não pensar, enquanto outros trabalham para ter uma boa vida. Contará uma mentira antes de admitir sua ignorância em qualquer assunto. Se trabalhar para outros, os criticará pelas costas e os elogiará na sua frente.

P – Por favor, dê uma descrição do não alienado.

R – O primeiro sinal de um não alienado é que está sempre engajado em fazer algo definido mediante algum plano muito bem organizado e detalhado. Tem um objetivo maior na vida, no qual está sempre trabalhando, e muitos outros objetivos menores, todos ligados ao esquema estratégico central. O tom da voz, a agilidade do passo, o brilho dos olhos e a rapidez das decisões marcam-no claramente como uma pessoa que sabe exatamente o que quer e está determinada a consegui-lo, não importa quanto tempo possa levar ou o preço que tenha de pagar. Se você fizer questionamentos, ele dará respostas diretas e nunca cairá em contradições, evasivas ou subterfúgios, seja qual for o assunto. Presta muitos favores aos outros, mas raramente aceita favores em troca. Sempre será encontrado na linha de frente, não importa se disputando um jogo ou lutando uma guerra. Se não souber as respostas, dirá francamente que não sabe. Tem uma ótima memória. Nunca oferece um álibi para suas deficiências. Nunca culpa os outros por seus erros, mesmo que eles mereçam. Você o encontrará administrando o maior negócio da cidade, morando na melhor rua, dirigindo o melhor automóvel e fazendo sua presença ser sentida onde quer que esteja. É uma inspiração para todos que entram em contato com sua mente. A característica mais marcante de um não alienado é ter uma mente totalmente dele e usá-la para todos os seus objetivos.

P – O não alienado nasce com alguma vantagem mental, física ou espiritual?

R – Não. A maior diferença entre o alienado e o não alienado é algo disponível para ambos. É a simples prerrogativa de usar a própria mente e pensar por si.

P – Que mensagem curta Vossa Majestade mandaria para um típico alienado se por algum acaso desejasse curá-lo desse hábito diabólico?

R – Eu o aconselharia a acordar e dar.

P – Dar o quê?

R – Alguma forma de serviço útil para o máximo possível de pessoas.

TRUQUES E ARMAS DIABÓLICOS

P – Estou fazendo perguntas, e Vossa Majestade está respondendo. Confesse por que não tem poderes para me parar de fazê-lo confessar.

R – Você encontrou o principal segredo para o meu reino. Você sabe que só existo na mente das pessoas que têm medo. Você sabe que controlo apenas os que se negam a usar a própria mente. Você sabe que meu inferno é aqui na Terra, não no mundo após a morte. E também sabe que os alienados fornecem todo o fogo que uso no meu inferno. Você sabe que sou um princípio ou forma de energia que expressa o lado negativo da matéria ou da energia, e não um ser com um garfo e um rabo pontudo. Você se tornou meu mestre porque superou todos os seus medos. Você sabe que pode liberar todas as vítimas humanas que contatar. Não consigo controlá-lo porque você descobriu sua mente e assumiu o controle dela. Essa confissão deve alimentar sua vaidade até um ponto crítico.

P – Este último dardo foi desnecessário. O tipo de conhecimento que utilizei para superar Vossa Majestade não se contamina com a indulgência vulgar na vaidade. Vamos adiante. O que há de errado com a bajulação? Vossa Majestade a utiliza ou não?

R – Se eu uso? Obviamente! A bajulação é uma das minhas armas mais úteis. Com esse instrumento mortal fisgo peixes grandes e pequenos.

P – Essa é uma admissão considerável. Conte como Vossa Majestade usa a bajulação para assumir o controle sobre as pessoas.

R – A bajulação é uma isca de valor incomparável para todos que desejam ganhar o controle sobre outras pessoas. Carrega em si qualidades atrativas para os outros porque opera por duas das fraquezas humanas mais comuns: a vaidade e o egocentrismo. Há certa dose de vaidade e egocentrismo em todas as pessoas. Em algumas essas qualidades são tão salientes que literalmente servem como uma corda com que podem ser amarradas. A melhor de todas as cordas é a bajulação. É a isca com que os homens seduzem as mulheres. As mulheres usam a mesma isca para ganhar o controle dos homens, especialmente dos que não são dominados pelo apelo sexual. Ensino o seu uso tanto para homens quanto para mulheres. A bajulação é também a principal isca com que os meus agentes ganham a confiança das pessoas de quem procuram informações necessárias para prosseguir na sua missão. Onde quer que alguém pare para alimentar sua vaidade pela bajulação, lá estou eu colocando o primeiro tijolo para construir mais um alienado. Pessoas não alienadas não são alvos tão fáceis da bajulação. Inspiro as pessoas a usar a bajulação em todas as relações em que seu uso é possível porque todos que são influenciados pela bajulação se tornam vítimas fáceis do hábito da alienação.

P – Vossa Majestade consegue controlar qualquer um que seja suscetível à bajulação?

R – Muito facilmente. Como já disse, a bajulação é de grande importância para tornar as pessoas presas fáceis do hábito da alienação.

P – Com que idade as pessoas são mais suscetíveis à bajulação?

R – Idade não tem nada a ver com suscetibilidade à bajulação. As pessoas respondem a ela de uma forma ou outra do momento em que ficam conscientes da própria existência até a morte.

P – Revele mais algum truque com que Vossa Majestade faz com que as pessoas se alienem.

R – Um instrumento efetivo é o fracasso. A maioria das pessoas começa a se alienar tão logo encontra a adversidade; só uma a cada dez mil permanecerá tentando após fracassar duas ou três vezes.

P – Então seu negócio é induzir as pessoas a fracassar sempre que pode. Correto?

R – Correto. O fracasso acaba com o moral, destrói a autoconfiança, liquida com o entusiasmo, enfraquece a imaginação e afasta qualquer tipo de propósito definido. Sem essas qualidades ninguém consegue manter o sucesso permanente em qualquer empreendimento. Pesquise a vida de homens e mulheres que alcançam sucesso duradouro e você descobrirá, sem exceção, que o sucesso ocorreu na exata proporção do fracasso que conseguiram superar. A vida de cada pessoa bem-sucedida clama uma das maiores verdades que a maior parte dos filósofos já sabia: cada fracasso traz consigo a semente de um sucesso equivalente. Mas a semente se abre para a vida somente nas mãos de alguém que reconhece que a maior parte dos fracassos são apenas derrotas temporárias e que nunca, sob hipótese alguma, aceita a derrota como uma desculpa para se alienar.

P – Vossa Majestade afirma existir virtude no fracasso. Não parece razoável. Se há virtude, por que então tenta induzir as pessoas a fracassar?

R – Não há inconsistência nas minhas afirmações. O que parece inconsistência na verdade é sua falta de entendimento. O fracasso é uma virtude apenas quando não leva o indivíduo a desistir de tentar e começar a se alienar. Induzo as pessoas a fracassar tantas vezes quantas posso pela simples razão de que apenas uma a cada dez mil continuará tentando após cair duas ou três vezes. Não estou preocupado com as poucas que convertem os fracassos em alavancas para o sucesso porque elas pertencem à minha oposição. São não alienadas, estão fora do meu alcance.

P – Sua explicação esclareceu o tema. Vá em frente nos truques para induzir as pessoas a se alienar.

R – Outro dos meus truques é a propaganda. É o instrumento de maior valor para fazer com que pessoas se matem nas guerras. Minha esperteza consiste na sutileza com que a uso. Misturo propaganda nas notícias. Ensino-a nas escolas. Cuido para que a propaganda sempre encontre um caminho até o púlpito. Utilizo-a para colorir os filmes. Faço com que entre em cada casa onde haja um rádio ligado. Faço com que esteja nos quadros-negros e jornais. Eu a espalho em todos os lugares onde as pessoas trabalham e fazem negócios. Uso a propaganda para encher as salas dos tribunais das varas de família. Faço com que sirva para destruir negócios. A propaganda é meu principal instrumento para deflagrar corridas aos bancos, iniciar epidemias, incitar guerras e gerar pânico na economia.

P – Se Vossa Majestade consegue fazer tudo isso com a propaganda, não é difícil de imaginar por que temos tantas guerras e crises econômicas. Dê uma descrição simples do termo “propaganda”.

R – Propaganda é qualquer instrumento, plano ou método com o qual as pessoas podem ser influenciadas sem saber que estão sendo influenciadas. A propaganda é usada nos negócios com o principal objetivo de desencorajar a concorrência. Empregadores a usam para levar vantagem sobre os empregados. Os empregados retaliam usando a propaganda para levar vantagem sobre os empregadores. Na verdade, ela é usada de modo tão universal e mediante uma técnica tão bonita e delicada que mesmo quando detectada parece inofensiva.

P – Por que Vossa Majestade não usa a propaganda para obter controle sobre suas vítimas em vez de subjugá-las pelo medo e aniquilá-las com a guerra?

R – O que é o medo do Diabo senão propaganda? Você não observou minha técnica com cuidado, ou teria visto que sou o maior propagandista do mundo. Nunca alcanço um fim por meios diretos se porventura posso alcançá-lo de modo sutil e evasivo. O que você supõe que eu esteja usando quando planto ideias negativas na mente dos homens e ganho o controle com o que eles acreditam serem ideias próprias? Como você chamaria isso, senão da mais sábia de todas as formas de propaganda?

P – Como Vossa Majestade converte seres humanos em propagandistas e os seduz a se autoaprisionar?

R – Faço a primeira entrada na mente de um indivíduo subornando-o. Uso muitas coisas, todas elas prazerosas e cobiçadas. Uso o mesmo tipo de propina que indivíduos usam quando subornam uns aos outros, isto é, coisas que a maioria das pessoas quer. Minhas melhores propinas são amor, sexo, dinheiro, tóxicos e narcóticos, fama e comida.

P – O que acontece quando Vossa Majestade entra na mente de uma pessoa que ainda não está no

hábito da alienação, mas pertence à classe dos 98% de alienados potenciais?

R – Trabalho para ocupar o máximo de sua mente. Se a maior fraqueza do indivíduo é o desejo por dinheiro, começo a jogar moedas na frente dele. Intensifico seu desejo e o induzo a perseguir o dinheiro com todas as forças; quando ele chega perto de abocanhar o dinheiro, simplesmente tiro-o da sua frente. Depois de esse truque ser repetido algumas vezes, o infeliz desiste e se entrega. Aí tomo conta de um pouco mais de espaço da sua mente e acabo por preenchê-la com o medo da pobreza. Esse é um dos melhores preenchedores de mente que tenho.

P – E se a vítima conseguir pôr as mãos em um monte de dinheiro? Vossa Majestade consegue preencher sua mente com o medo da pobreza?

R – Não. Ocupo o espaço com alguma coisa. Se minha vítima for bem-sucedida no desejo por dinheiro, começo a entupi-la de coisas que pode comprar. Por exemplo, faço com que se empanturre de alimentos altamente calóricos. Isso reduz sua capacidade de pensamento e abre caminho para a alienação. Aí faço com que tenha indisposições estomacais e intestinais, e isso também diminui a capacidade de pensamento, sem falar na pouca disposição para a vida.

P – E se a vítima não é glutona?

R – Geralmente posso fisgá-la pelo apetite por sexo. Autoindulgência em sexo faz mais homens caírem no hábito da alienação e fracassar do que todas as outras causas combinadas.

P – Quer dizer então que comida e sexo são duas de suas iscas mais certeiras?

R – Sim, com esses dois atrativos posso tomar conta da maioria das minhas vítimas. Junto com esses está o desejo por dinheiro.

P – Estou começando a pensar que a riqueza é mais perigosa do que a pobreza.

R – Bem, tudo depende de quem tem a riqueza e como ela foi adquirida.

P – O que tem a ver a maneira como o dinheiro é adquirido com o fato de ser uma bênção ou uma maldição?

R – Tudo. Se não acredita em mim, dê uma olhada naqueles que adquirem grandes quantias de dinheiro de forma abrupta, sem tempo suficiente para ganhar sabedoria. Observe como usam o dinheiro. Por que você supõe que os filhos de homens ricos raramente igualam as realizações dos pais? Direi por quê. É porque foram privados da autodisciplina proveniente de ter que trabalhar pelo dinheiro. Dê uma olhada também em artistas ou atletas que num piscar de olhos se acham cheios de dinheiro e venerados pelo público. Observe o quão rapidamente consigo penetrar em suas mentes por meio do sexo, dos jogos de azar, da comida e do álcool.

P – E aqueles que adquirem o dinheiro lentamente, prestando serviço útil? Também são pegos?

R – Ah, também consigo pegá-los, mas geralmente tenho que mudar a isca. Meu objetivo é alcançado quando consigo fazê-los ter o que mais querem, mas embrulho o pacote com algo que não querem. O que dou a eles é a coisa definitiva que os faz alienados.

P – Vossa Majestade atrai as pessoas pelos desejos naturais delas e coloca seu veneno nesses desejos.

R – Agora você está começando a entender.

P – Vossa Majestade não consegue fisgar um não alienado com esses subornos. Correto?

R – Exatamente. O não alienado tem da vida o que quer que queira, mas nos seus termos. O alienado pega o que conseguir, mas nos meus termos. O não alienado pega dinheiro emprestado de um banco, se quiser, e paga uma taxa de juros decente. O alienado dirige-se a um agiota e paga juros suicidas.

P – Então suas mãos estão presentes em todas as misérias, mesmo que sua presença não seja visível?

R – Meus trabalhadores relutantes muitas vezes são os melhores. São aqueles que não consigo controlar com alguma combinação de propinas, que tenho que controlar pelo medo ou alguma forma de tragédia. Não desejam servir a mim, mas não conseguem evitar porque estão ligados a mim pelo hábito da alienação.

P – Vossa Majestade suborna as vítimas por meio de seus desejos naturais e as leva a se alienar se respondem a seus atrativos. Caso se recusem a responder, Vossa Majestade planta a semente do medo nas suas mentes ou prepara armadilhas com

algum tipo de infortúnio, atando-as enquanto estão no auge da depressão. Esse é o método?

R – Exatamente. Muito esperto, não acha?

P – Quem Vossa Majestade prefere que sirva como seus propagandistas – os jovens ou os velhos?

R – Os jovens, é claro! Eles podem ser influenciados por meus atrativos mais facilmente do que pessoas com um julgamento mais maduro. Além disso, vão permanecer mais tempo a meu serviço.

P – Vossa Majestade fez uma descrição clara do que é alienação. Agora diga o que deve ser feito para evitar o hábito da alienação. Quero uma fórmula completa, que qualquer um possa usar.

R – A proteção contra a alienação encontra-se facilmente dentro de cada ser humano com um corpo normal e uma mente afiada. A autodefesa pode ser aplicada com estes métodos simples:

- Pense por si em todas as ocasiões. O fato de que aos seres humanos não é dado o controle completo sobre nada, exceto pensar os próprios pensamentos, é algo muito significativo.
- Decida o que quer da vida, crie um plano para alcançá-lo e esteja disposto a sacrificar tudo o mais, se necessário, antes de aceitar uma derrota permanente.
- Analise as derrotas temporárias e extraia delas a semente de uma vantagem equivalente.
- Esteja disposto a prestar um serviço útil equivalente ao valor de todas as coisas materiais que você demanda da vida e preste o serviço primeiro.
- Reconheça que seu cérebro é um aparelho receptor que pode ser sintonizado para receber comunicações da central universal de inteligência infinita, para ajudá-lo a transformar seus desejos no equivalente físico.

- Reconheça que seu grande ativo é o tempo. É a única coisa, com exceção do poder do pensamento, que você tem nas mãos e é a única coisa que pode ser transformada em coisas materiais que sejam do seu desejo. Organize seu tempo de tal forma que nada dele seja desperdiçado.
- Reconheça a verdade de que o medo geralmente é um preenchedor de espaço que eu utilizo para ocupar a porção disponível da sua mente. É apenas um estado mental que você pode controlar preenchendo o mesmo espaço com fé inabalável em sua capacidade de fazer a vida fornecer o que quer que você queira dela.
- Quando rezar, não implore. Peça o que quer e insista exatamente nisso, sem substitutos.
- Reconheça que a vida é um mestre cruel que ou você controla ou controla você. Não há meio-termo. Nunca aceite da vida qualquer coisa que

você não queira. Se aquilo que você não quer temporariamente vem à força, você pode se recusar a aceitá-lo em sua mente. Isso abrirá espaço para trazer as coisas que realmente quer.

- Por último, lembre-se de que seus pensamentos dominantes atraem, por meio de uma lei definitiva da natureza, pela rota mais conveniente e curta, a sua contrapartida física. Seja extremamente cuidadoso com o foco dos seus pensamentos.

P – Se Vossa Majestade tivesse que combinar esses dez pontos em apenas um, como seria?

R – Seja definido em tudo que fizer e nunca deixe pensamentos inacabados na mente. Forme o hábito de alcançar decisões definidas em todos os assuntos e áreas de sua vida.

RITMO HIPNÓTICO

P – O hábito da alienação pode ser quebrado?

R – Pode, se a vítima tiver força de vontade suficiente, considerando-se que leva tempo. Mas existe um ponto a partir do qual o hábito não pode mais ser quebrado, e a vítima torna-se minha. É como uma mosca pega em uma teia de aranha. Ela pode lutar, mas não consegue se desvencilhar. Cada movimento a deixa mais enredada. A teia é uma lei da natureza que ainda não foi estudada pelos homens de ciência.

P – Que lei misteriosa é essa?

R – Você pode chamá-la de "ritmo hipnótico". Qualquer impulso de pensamento que a mente repita acaba formando um ritmo organizado. Hábitos indesejáveis podem e devem ser quebrados antes de assumir a proporção de um ritmo. O ritmo é o último estágio do hábito. A partir desse momento, o hábito não pode ser quebrado porque a natureza o assume e transforma em algo permanente.

P – Pelo que entendi, o ritmo hipnótico é a lei com que a natureza fixa as vibrações.

R – Sim, a natureza usa o ritmo hipnótico para fazer os pensamentos dominantes de uma pessoa e os seus hábitos de pensamento tornarem-se permanentes. Se a sua mente teme a pobreza, atrairá pobreza. Se a sua mente deseja riqueza e espera por ela, atrairá os equivalentes físicos e financeiros.

P – O que é mais importante: pensamento ou ação?

R – Não existem ações sem antes ter havido um pensamento. Além disso, todos os pensamentos têm a tendência de se tornar a sua contraparte física. Os pensamentos dominantes – aqueles que uma pessoa mistura com emoções, desejos, esperança, fé, medo, ódio, ganância, entusiasmo – estão fadados a se concretizar.

P – Os não alienados são espertos o suficiente para evitar a influência do ritmo hipnótico?

R – Ninguém é esperto o suficiente para fugir da influência do ritmo hipnótico. A lei do ritmo hipnótico fixa pensamentos dominantes positivos ou negativos. Não há razão para um não alienado querer evitar a influência do ritmo hipnótico, porque ele o ajuda a converter seus objetivos, planos e metas em réplicas físicas. Somente um alienado desejaria escapar da influência do ritmo hipnótico.

P – Por que a sua oposição não vence Vossa Majestade blindando as pessoas com pensamentos que as elevem acima de sua influência?

R – A lei do ritmo hipnótico está disponível para todos. Eu faço uso dela de forma mais efetiva do que a minha oposição porque ofereço às pessoas subornos mais atrativos, a fim de que pensem os meus tipos de pensamento e realizem os meus tipos de ação.

P – Vossa Majestade controla as pessoas fazendo com que pensamentos negativos e ações destrutivas sejam prazerosos para elas. Correto?

R – Essa é a ideia.

P – Por que sua oposição simplesmente não aniquila Vossa Majestade?

R – Porque a força está tão disponível para ela quanto para mim. E ainda mais importante: essa força pode ser usada por qualquer ser humano de forma tão efetiva quanto por mim ou por minha oposição.

P – Vossa Majestade tem provas do que afirma?

R – A palavra do Diabo não parece ter muita validade entre vocês. Nem a palavra de Deus. Vocês temem o Diabo e não confiam em Deus. Por isso têm apenas uma fonte pela qual podem se apropriar do benefício da força universal, que é o próprio pensamento.

P – Se o ritmo hipnótico não é voluntariamente aplicado, pode ser um grande perigo?

R – Sim, pois funciona de modo automático. Se não for conscientemente aplicado para um determinado resultado, pode gerar resultados indesejados. O homem tem o poder de estabelecer o próprio ritmo de pensamento, contanto que exercite esse privilégio antes de o ritmo hipnótico forçar sobre ele as influências do ambiente. Todas as casas, todos os negócios, toda cidade, vilarejo, rua e centro comunitário têm ritmo próprio, definido e discernível. Se você deseja ver a diferença na frequência de ritmos das ruas, dê uma caminhada pela 5ª Avenida, em Nova York, e depois pelos bairros pobres da cidade.

P – Cada indivíduo tem ritmo próprio de pensamento?

R – Sim, essa é precisamente a maior diferença entre os indivíduos. A pessoa que pensa em termos de poder, sucesso e opulência define um ritmo que atrai essas posses desejáveis. A pessoa que pensa em termos de miséria, escassez, fracasso, desencorajamento e pobreza atrai essas influências indesejáveis. Isso explica por que tanto sucesso quanto fracasso são resultados do hábito. O hábito estabelece o ritmo do pensamento, e esse ritmo atrai o objeto que representa os pensamentos dominantes.

P – O ritmo hipnótico se parece com um ímã que atrai coisas pela afinidade magnética?

R – Sim. Esse é o motivo pelo qual aqueles que são orientados para a pobreza acabam acumulando-se nas mesmas comunidades. Isso explica o velho adágio: "A miséria adora companhia". Também explica por que as pessoas que começam a se tornar bem-sucedidas acham que o sucesso se multiplica com muito menos esforço com o passar do tempo.

PROPÓSITO DEFINIDO

P – Vossa Majestade procederá agora à revelação dos sete princípios pelos quais os humanos podem obter liberdade espiritual, mental e física. Conte o que sabe sobre o princípio do propósito definido; é algo com que se nasce ou pode ser adquirido?

R – Todos os humanos nascem com o privilégio e potencial de definir seus propósitos. Mas 98 de cada cem pessoas perdem esse privilégio porque não o utilizam nem tomam consciência de sua existência.

P – Descreva como as pessoas negligenciam o privilégio de ser livres e autodeterminadas.

R – Quando um bebê começa a reconhecer os objetos do seu entorno, também começa a imitar outras pessoas. A imitação abrange não só a expressão física, mas, também o pensamento. Se os pais têm medo de mim e expressam esse medo, a criança o adquire e armazena no subconsciente como uma crença real. Se o instrutor religioso da criança expressar qualquer forma de medo de mim – e todos expressam –, esse medo se soma ao temor dos pais. De modo semelhante, a criança aprende por imitação a limitar sua força de pensamento, preenchendo a mente com inveja, ódio, ganância, luxúria, vingança e outros impulsos negativos que destroem a possibilidade de definição de propósito. Enquanto isso, me hospedo na mente dessa criança e a induzo a se alienar, até ter controle total sobre ela por meio do ritmo hipnótico.

P – Vossa Majestade tem que ganhar o controle das pessoas enquanto são muito jovens, sob pena de perder a oportunidade?

R – Prefiro dominá-las antes que tomem conta da própria mente. Uma vez que aprendam o real poder dos próprios pensamentos, tornam-se positivas, e aí é muito difícil que se submetam a mim. Na verdade, não tenho poder sobre nenhum ser humano que descubra e use o princípio da definição do propósito.

P – O hábito da definição de propósito seria uma proteção permanente contra o seu controle?

R – Não, de certa forma não. A definição fecha as portas da mente para mim, mas só as mantém fechadas caso a pessoa siga o princípio de forma sistemática e permanente, fazendo dele um hábito. Caso hesite, procrastine ou torne-se indefinida sobre qualquer coisa, fica a um passo de deixar essa proteção e ser envolvida por mim e pelo meu controle.

P – Gostaria de saber se a definição de propósito pode trazer destruição via lei da compensação.

R – Poucas pessoas entendem como usar o princípio do propósito definido sem atrair para si as implicações negativas da lei da compensação. Aqui você me força a revelar um de meus truques mais valiosos: pela definição de propósito, trago de volta aqueles que escapam temporariamente. Preencho a mente deles com ganância por poder até caírem no hábito da violação dos direitos dos outros. Aí entro com a lei da compensação e os retomo.

P – Baseado em suas admissões, o princípio da definição de propósito pode ser perigoso.

R – Sim, e o mais importante: cada princípio do bem carrega consigo a semente de um perigo equivalente.

P – É difícil acreditar nisso. Que perigo, por exemplo, haveria no hábito do amor à verdade?

R – O perigo encontra-se na palavra "hábito". O amor à verdade, a menos que assuma a proporção da procura definitiva pela verdade, pode se tornar similar a todas as outras boas intenções. E você sabe o que eu faço com boas intenções.

P – O amor pelos parentes também é perigoso?

R – O amor por qualquer coisa ou pessoa pode ser perigoso. O amor encobre a razão, limita a força de vontade e cega a mente para os fatos e para a verdade. O amor é uma de minhas iscas mais efetivas. Mostre-me aquilo que uma pessoa mais ama, e terei a chave para saber como essa pessoa pode ser induzida a se alienar até cair no ritmo hipnótico. Amor e medo combinados fornecem as armas mais efetivas com as quais induzo as pessoas a se alienar. Amor e medo são forças emocionais de tão estupenda potência que retiram a força de vontade e o uso da razão. Sem o poder da vontade e da razão, não há nada mais que possa sustentar a definição de propósito.

P – Mas não valeria a pena viver sem amor.

R – Ah, mas o amor deve estar sob total controle em todos os momentos. O amor é completamente desejável, mas pode limitar ou destruir a razão e a força de vontade, ambas as quais devem estar acima do amor para todos os seres humanos que desejam a liberdade e a autodeterminação.

P – Pelo que Vossa Majestade diz, as pessoas que obtêm poder devem endurecer as emoções, controlar os medos e dominar o amor. Correto?

R – As pessoas que obtêm e mantêm poder devem tornar-se definidas em todos os pensamentos e atos. Se isso é o que você chama endurecer, então, sim, elas têm que ser duras.

P – O que tem mais chance de ser bem-sucedido: um plano fraco aplicado com definição ou um plano forte aplicado sem definição?

R – Planos fracos têm meios de se tornar fortes se forem aplicados com definição.

P – Quer dizer que qualquer plano pode ser bem-sucedido mesmo que não seja o melhor plano?

R – Sim. A maior diferença entre um plano forte e um fraco é que o forte, se definitivamente aplicado, pode trazer sucesso mais rapidamente.

P – Uma pessoa com definição de planos e propósitos sempre alcança o sucesso?

R – O melhor dos planos algumas vezes falha, mas a pessoa que age com definição reconhece a diferença entre derrota temporária e fracasso. Quando os planos falham, ela os substitui por outros, persevera. Por fim encontra um plano que será bem-sucedido.

P – Um plano baseado em fins imorais ou injustos será tão bem-sucedido quanto um plano motivado por um senso apurado de justiça e moralidade?

R – Pela lei da compensação, todos colhem o que plantam. Planos injustos ou imorais podem trazer sucesso temporário, mas sucesso duradouro deve levar em consideração a quarta dimensão: o tempo. O tempo é inimigo da imoralidade e da injustiça, é amigo da justiça e da moralidade.

P – Observo que pessoas com planos e objetivos definidos algumas vezes conseguem o que queriam da vida para depois descobrir que aquilo não era exatamente o que queriam.

R – Geralmente nos livramos de qualquer coisa que não queremos pela aplicação do mesmo princípio de definição das coisas que adquirimos. Uma vida com absoluta paz de espírito, contentamento e felicidade sempre se livra de tudo aquilo que não quer. Qualquer um que se submete a coisas que não quer por um longo período é um alienado.

P – E as pessoas casadas que deixam de querer estar uma com a outra? Devem se separar ou é verdade que todos os casamentos são feitos no céu e os contratantes estão eternamente ligados?

R – Primeiro deixe-me corrigir o velho ditado de que todos os casamentos são feitos no céu. Conheço alguns realizados do meu lado da cerca. Mentes que não se harmonizam jamais deveriam ser forçadas a permanecer juntas no casamento ou em qualquer relacionamento. O atrito e todas as formas de discórdia entre as mentes levam inevitavelmente ao hábito da alienação e, por consequência, à indefinição.

P – As pessoas não são algumas vezes ligadas a outras por uma relação de dever, o que torna impraticável tirarem da vida o que mais querem?

R – "Dever" é uma das palavras mais abusadas e mal-entendidas. O primeiro dever de cada ser humano é consigo. Cada um deve a si o dever de descobrir como ter uma vida plena e feliz. Se tem tempo e energia extras, não necessários para os próprios desejos, deve assumir a responsabilidade de ajudar outros.

P – Isso não é uma atitude egoísta, e egoísmo não é uma das principais causas do fracasso em achar a felicidade?

R – Mantenho o que disse: não existe maior dever do que aquilo que devemos a nós mesmos.

P – Um filho não deve algo aos pais que lhe deram a vida e sustento?

R – De forma alguma. É exatamente o oposto. Os pais devem aos filhos tudo o que possam dar na forma de conhecimento. Só que os pais em geral mimam em vez de ajudar os filhos, tudo por um falso senso de dever que os faz satisfazer as crianças em vez de forçá-las a procurar e obter conhecimento.

P – Vossa Majestade considera a oração um meio de alcançar fins desejáveis?

R – Pelo contrário, considero a oração poderosa, mas não o tipo de oração que consiste em palavras vazias, sem sentido e suplicantes. O tipo de oração contra a qual não tenho nenhuma força é a oração com um propósito definido.

P – Nunca pensei na definição de propósito como uma oração. Como pode ser isso?

R – A definição é, em efeito, a única forma de oração em que alguém pode realmente se basear. Ela posiciona a pessoa de forma que use o ritmo hipnótico para alcançar fins definidos, apropriando-se da grande fonte universal da inteligência infinita. Essa apropriação ocorre pela definição de propósito.

P – Por que a maioria das orações falha?

R – Não falha. Todas as orações trazem aquilo pelo que se reza.

P – Vossa Majestade disse que a definição de propósito é o único tipo de oração em que alguém pode se basear. Agora diz que todas as orações trazem resultado. Como pode ser isso?

R – A maioria das pessoas recorre à oração só após tudo o mais ter falhado. Naturalmente, começam as orações com a mente cheia de medo de que não serão atendidas. Bem, os medos então são realizados. A pessoa que começa uma oração com um propósito definido e fé inabalável de que vai alcançá-lo coloca em ação as leis da natureza que transmutam os desejos dominantes no seu equivalente físico. Uma forma de oração é negativa e traz resultados negativos. Outra forma é positiva e traz resultados definidos e positivos. Poderia haver algo mais simples? As pessoas que se lamentam e imploram para que Deus assuma a responsabilidade por todos os seus problemas e supra todas as suas necessidades e luxúrias são na verdade muito preguiçosas para criar e traduzir o que querem em realidade física pelo poder da própria mente. Quando você escuta alguém rezando por algo que deveria conseguir com o próprio esforço, pode ter certeza de que está escutando um alienado.

P – A sua teoria de definição de propósito está em harmonia com a filosofia dos homens da ciência?

R – A definição de plano e propósito é a maior diferença entre um cientista e um alienado. Com definição de plano e propósito, o cientista força a natureza a revelar seus segredos mais profundos.

P – Por que Vossa Majestade não assume a onipotência e administra tudo à sua maneira?

R – Você poderia perguntar por que a porção negativa do elétron não toma conta da porção positiva e faz todo o trabalho. A resposta é que as cargas positiva e negativa da energia são necessárias para a existência do elétron. Uma é balanceada contra a outra, e assim deve permanecer. E é dessa forma que ocorre a relação entre a onipotência e mim. Nós representamos as forças positivas e negativas de todo o sistema dos universos e estamos balanceados. Se a força de equilíbrio fosse modificada, mesmo que em um ínfimo grau, todo o sistema dos universos se reduziria rapidamente a uma massa de matéria inerte. Agora você sabe por que não posso tomar conta do show e simplesmente fazer tudo do meu jeito.

P – Se isso é verdade, Vossa Majestade tem exatamente o mesmo poder que a onipotência.

R – Correto. A minha oposição, que você chama de onipotência, se expressa por forças que você chama de "boas", as forças positivas da natureza. Eu me expresso por forças que você chama de "más", as forças negativas da natureza. Tanto o bem quanto o mal são forças que devem coexistir na natureza. Uma é tão importante quanto a outra.

P – Então a doutrina da predestinação é verdadeira. As pessoas nascem para o sucesso ou para o fracasso, para a miséria ou para a felicidade, para serem boas ou más, e não podem modificar

sua natureza. É isso que Vossa Majestade está afirmando?

R – Não! Cada ser humano tem uma ampla gama de escolhas, tanto para os pensamentos quanto para as ações. Cada ser humano pode usar seu cérebro para a recepção e para a expressão de pensamentos positivos ou para expressar pensamentos negativos. A escolha molda toda a sua vida.

P – Pelo que Vossa Majestade disse, pude perceber que os serem humanos têm mais liberdade de expressão do que você ou sua oposição. Correto?

R – Sim. Tanto eu quanto a onipotência somos limitados por leis imutáveis da natureza. Não podemos nos expressar senão em conformidade com essas leis.

P – Então é verdade que o homem tem direitos e privilégios não disponíveis nem para o Onipotente nem para o Diabo. Verdade?

R – Sim, verdade. Mas você também deve acrescentar que o homem ainda não acordou totalmente para sua força potencial. O homem ainda se considera uma poeira ao vento, quando na realidade tem muito mais poder do que todas as criaturas vivas combinadas.

EDUCAÇÃO E RELIGIÃO

P – Por que não ensinam sobre a definição de propósito nas escolas?

R – Porque não existe um plano ou propósito definido por trás do currículo escolar. As crianças são enviadas à escola para memorizar dados e ganhar um diploma, não para aprender o que querem da vida.

P – Deduzo que escolas e igrejas não preparam os jovens com conhecimento prático sobre o funcionamento da própria mente. Existe alguma coisa mais importante do que o entendimento das forças e circunstâncias que influenciam a mente?

R – A única coisa de valor duradouro para qualquer ser humano é o conhecimento de como opera a própria mente. As igrejas não permitem que uma pessoa investigue as potencialidades de sua mente; as escolas tampouco reconhecem tais potencialidades.

P – Escolas e igrejas não são suas piores inimigas?

R – Seus líderes podem pensar que são, mas, se você quer saber a verdade, as igrejas são minhas aliadas mais úteis, e as escolas vêm logo atrás.

P – Qual a base dessa afirmação?

R – Tanto as igrejas quanto as escolas me ajudam a converter pessoas para o hábito da alienação.

P – Essa confissão desiludirá milhões de pessoas cuja única esperança de salvação está nas igrejas.

R – O que você quer dizer com "salvação"? Do que as pessoas seriam salvas? A única forma de salvação duradoura e realmente válida para qualquer ser humano vem do reconhecimento do poder da própria mente. Ignorância e medo são os únicos inimigos dos quais os homens necessitam salvação.

P – Existe algo radicalmente errado com o sistema de educação, que tem nos proporcionado um

balancete da vida em que estamos no vermelho, tal como animais perdidos na selva. Quero saber duas coisas: qual a maior fraqueza do sistema e como pode ser eliminada?

R – O sistema de ensino parte de um ângulo errado. O sistema escolar se esforça para ensinar as crianças a memorizar fatos em vez de ensiná-las a usar a própria mente.

P – É só isso que está errado?

R – Não, esse é apenas o começo. Outra grande fraqueza do sistema escolar é não estabelecer a importância da definição de propósito nem tentar ensinar aos jovens como ser definido a respeito de qualquer coisa. O maior objetivo de toda escola é forçar os estudantes a abarrotar a memória com fatos em vez de ensiná-los a organizar e fazer uso prático desses fatos. Esse sistema faz com que a atenção dos estudantes fique centrada apenas em ganhar créditos e boas notas, mas deixa de lado o mais importante, que seria o uso do conhecimento nos assuntos práticos da vida. Esse sistema forma estudantes com mentes desprovidas de autodeterminação. O sistema escolar partiu de um mau começo. As escolas foram criadas para os poucos afortunados cujas famílias os destinavam para a educação. Assim, todo o sistema foi desenvolvido do topo até chegar à base da sociedade.

P – O que corrigiria essas fraquezas? Descreva as mudanças necessárias pela ordem de importância.

R – Você está me forçando a um ato de traição contra mim mesmo, mas aqui está:

- Reverta o presente sistema, dando às crianças o privilégio de liderar os trabalhos escolares em vez de seguir regras ortodoxas estabelecidas apenas para compartilhar conhecimento abstrato. Deixe os instrutores servirem como estudantes e os estudantes servirem como instrutores.

- Tanto quanto possível, organize todos os trabalhos escolares em métodos definidos para que os estudantes possam aprender fazendo, com atividades práticas ligadas aos problemas cotidianos.
- As ideias são o começo de todas as realizações humanas. Ensine todos os estudantes a reconhecer ideias práticas que possam ser de grande benefício para ajudar no que quer que a vida exija deles.
- Ensine os estudantes a fazer uma administração efetiva do tempo e sobretudo ensine a verdade de que o tempo é o ativo mais valioso disponível para todos os seres humanos, e também o mais barato.
- Ensine os motivos básicos pelos quais todas as pessoas são influenciadas e mostre como usar esses motivos para suprir as necessidades e luxos da vida.
- Ensine às crianças o que comer, o quanto comer e a relação entre boa alimentação e corpo saudável.

- Ensine a verdadeira natureza e a função da emoção do sexo e sobretudo ensine que o sexo pode ser transmutado em uma força propulsora capaz de levar qualquer um ao topo de suas realizações.
- Ensine a importância da definição em todas as coisas, a começar pela escolha de um grande propósito definido para a vida.
- Ensine o princípio do hábito e que este pode ser bom ou mau, usando exemplos do cotidiano.
- Ensine como os hábitos tornam-se permanentes por meio do ritmo hipnótico e as influencie a adotar, ainda nos primeiros anos escolares, hábitos que as levarão a ter pensamentos independentes.
- Ensine a diferença entre derrota temporária e fracasso e como procurar pela semente de vantagem que toda derrota traz consigo.
- Ensine a importância de expressar os próprios pensamentos sem medo e de aceitar ou rejeitar as

ideias dos outros, reservando para si o privilégio do julgamento.

- Ensine as crianças a tomar decisões prontamente e a mudá-las vagarosamente e com relutância e nunca sem uma razão definida.
- Ensine que o cérebro humano é o instrumento com o qual se recebe da grande fonte central da natureza a energia especializada em pensamentos definidos; que o cérebro não pensa, mas serve de instrumento para a interpretação dos estímulos que causam o pensamento.
- Ensine o valor da harmonia na mente e que isso só é possível mediante autocontrole.
- Ensine o valor do autocontrole.
- Ensine que existe uma lei de retornos crescentes que pode e deve ser colocada em operação como um hábito, mostrando que se deve sempre prestar mais e melhores serviços do que o esperado.

- Ensine a Regra de Ouro e mostre que tudo que se faz para e pelos outros se faz para si mesmo.
- Ensine as crianças a ter opiniões formadas apenas por fatos ou por crenças que possam ser razoavelmente aceitas como fatos verdadeiros.
- Ensine que cigarros, bebidas, drogas e sexo em demasia destroem a força de vontade e acabam levando ao hábito da alienação. Não proíba – apenas explique.
- Ensine às crianças o perigo de acreditar em qualquer coisa só porque os pais, os instrutores religiosos ou qualquer outra pessoa disseram.
- Ensine as crianças a encarar os fatos sem recorrer a subterfúgios ou álibis.
- Ensine e encoraje o uso do sexto sentido, pelo qual as ideias se apresentam na mente a partir de fontes desconhecidas, e a examinar tais ideias cuidadosamente.

- Ensine a importância da lei da compensação, tal como interpretada por Ralph Waldo Emerson, e mostre como essa lei trabalha nos eventos do dia a dia, mesmo nos menores.
- Ensine que definição de propósito amparada por planos definidos persistente e continuamente aplicados é a forma mais eficaz de oração disponível aos seres humanos.
- Ensine às crianças que o espaço que ocupam no mundo é medido pela qualidade e quantidade de serviço útil que prestam ao mundo.
- Ensine que não existe problema que não tenha uma solução apropriada e que na maior parte das vezes a solução pode ser encontrada nas circunstâncias que criaram o problema.
- Ensine às crianças que suas únicas limitações reais são aquelas impostas por si mesmas ou que permitem que outros estabeleçam em suas mentes.

- Ensine que tudo que um homem pode conceber e acreditar, ele pode alcançar.
- Ensine que todas as escolas e todos os livros escolares são elementos essenciais que podem ser úteis no desenvolvimento da mente, mas que a única escola de real valor é a grande universidade da vida, na qual se tem o privilégio de aprender pela experiência.
- Ensine as crianças a ser verdadeiras consigo mesmas em todos os momentos e que, considerando-se que não podem satisfazer a todos, devem ter sempre em mente que precisam satisfazer a si mesmas.

P – Essa é uma lista imponente, mas ignora praticamente todas as matérias ensinadas nas escolas.

R – Sim. Você pediu uma lista de mudanças no currículo escolar que beneficiariam as crianças. Foi isso que dei.

P – Algumas das propostas são tão radicais que chocariam a maioria dos educadores de hoje.

R – A maioria necessita desse choque. Um bom choque ajuda o cérebro atrofiado pelo hábito.

P – As mudanças que Vossa Majestade sugere dariam imunidade contra o hábito da alienação?

R – Sim, esse seria um dos resultados.

P – Deveriam ser feitas outras mudanças no sistema escolar?

R – Sim, muitas. Entre essas, o acréscimo de um curso de psicologia de negociação. Todas as crianças deveriam ser treinadas na arte da venda e da persuasão, aprendendo como diminuir o atrito nas relações. Toda escola deveria ensinar os princípios pelos quais se pode obter independência financeira. As classes deveriam ser substituídas por mesa-redonda ou conferências, tais quais as empregadas pelos homens de negócios. Os alunos deveriam receber instruções individuais nas matérias que não podem ser ensinadas apropriadamente em grupo. Toda escola deveria ter um corpo auxiliar de instrutores, consistindo em homens de negócios, cientistas, artistas, engenheiros, jornalistas. Cada um compartilharia conhecimento prático sobre seu setor. A instrução seria por conferência, para economizar o tempo dos instrutores.

P – Vamos voltar às igrejas. Toda a minha vida ouvi clérigos pregando contra o pecado, mas nunca ouvi ninguém dizer o que realmente é o pecado. Vossa Majestade traria alguma luz a essa questão?

R – Pecado é qualquer coisa que alguém faça ou pense e que cause infelicidade para si ou para os outros. Seres humanos em ótimas condições físicas e perfeita saúde espiritual deveriam estar em paz consigo mesmos e sempre felizes. Qualquer forma de miséria mental ou física indica a presença do pecado.

P – Nomeie algumas formas comuns de pecado.

R – Comer em excesso, pois leva à perda da saúde e à miséria. Excesso de sexo, pois quebra a força de vontade e leva à alienação. Permitir que a mente seja dominada por inveja, ganância, medo, ódio, intolerância, vaidade, autopiedade ou desencorajamento, pois esses estados mentais levam à alienação. Enganar, mentir e roubar, pois destroem o autorrespeito, subjugam a consciência e levam à infelicidade. Permanecer na ignorância, pois a falta de conhecimento leva à pobreza e à perda da autoconfiança. Aceitar da vida qualquer coisa que não se queira, pois isso indica negligência no uso da mente.

P – É pecado alienar-se sem um objetivo definido?

R – Sim, porque esse hábito leva à pobreza e destrói o privilégio da autodeterminação. Também priva a pessoa do privilégio de usar a própria mente como meio de contato com a inteligência infinita.

P – Vossa Majestade consegue controlar a mente de uma pessoa que não comete pecados?

R – Não, porque ela nunca permite que sua mente seja dominada por pensamentos negativos. Não consigo entrar na mente de quem não peca.

P – Quais os pecados mais comuns e destrutivos?

R – Medo e ignorância.

P – O que é a fé?

R – É um estado mental com que se reconhece e utiliza o poder do pensamento positivo, um meio pelo qual se contata a fonte da inteligência universal.

P – Um alienado tem capacidade de usar a fé?

R – Pode ter a capacidade de usar, mas não usa. Todo mundo tem força potencial para limpar a mente de todos os pensamentos negativos e dessa forma utilizar o poder da fé.

AUTODISCIPLINA

P – O que é necessário antes de se poder avançar com definição de propósito?

R – Autocontrole. Esse é o segundo dos sete princípios. A pessoa que não domina a si mesma jamais poderá ser líder de outras.

P – Por onde se começa a adquirir autocontrole?

R – Pelo domínio do desejo por comida, desejo por sexo e desejo de expressar opiniões imprecisas.

P – Mas esses desejos são naturais.

R – Também são perigosos, porque pessoas sem autodomínio tendem a torná-los vícios. Com autodomínio os desejos podem ser satisfeitos sem excessos.

P – Como as pessoas se excedem nos desejos?

R – Pegue o desejo por comida, por exemplo. A maioria das pessoas enche o estômago com alimentos pesados, que se convertem em toxinas, entopem o sistema excretor e ficam estagnados no organismo. A vítima fica lenta nos movimentos físicos e mentalmente irritada e irrequieta. Comer de forma inapropriada é a grande responsável pela maioria das doenças e por praticamente todas as dores de cabeça. Tão importante quanto eliminar o lixo e as porções não utilizadas de comida é ingerir as quantidades corretas e as combinações adequadas de alimentos.

P – Como se pode dominar a emoção do sexo?

R – Pela simples transmutação em alguma atividade que não seja a cópula. Se os seres humanos gastassem no trabalho a metade do tempo que perdem à procura de sexo, nunca conheceriam a pobreza.

P – O hábito da indulgência no sexo é tão perigoso quanto o hábito de utilizar drogas ou bebida?

R – Não há diferença. Esses hábitos levam ao controle hipnótico mediante a alienação.

P – Vossa Majestade quer dizer que não se deve satisfazer o desejo por sexo?

R – Não, quero dizer que o sexo deve ser entendido e dominado, transmutado em atividades construtivas.

P – Quais os benefícios que a emoção do sexo pode trazer se for dominada e transmutada?

R – O sexo controlado é o fator mais importante de uma personalidade agradável. Capacita o indivíduo a transmitir o sentimento desejado com sua voz. Dá força motivacional aos desejos. Mantém o sistema nervoso carregado com a energia necessária para o corpo funcionar apropriadamente. Afia a imaginação e capacita a pessoa a criar ideias úteis. Confere agilidade e definição aos movimentos físicos e mentais. Fornece persistência e perseverança na busca por um objetivo maior na vida. É um antídoto para o medo. Fornece imunidade contra o desencorajamento. Fornece resistência física e mental nos momentos de fracasso ou revés. Fornece as qualidades para se lutar e aumenta a capacidade de autodefesa. Em resumo, faz vencedores, e não perdedores.

P – Por que essas verdades não são ensinadas às crianças pelos pais e nas escolas?

R – Porque eles desconhecem a real natureza do sexo. Para a manutenção da saúde do corpo, é tão necessário entender e usar apropriadamente a emoção do sexo quanto manter o sistema intestinal limpo. Os dois assuntos devem ser ensinados às crianças.

P – Qual a importância da necessidade de conhecimento apurado sobre o sexo?

R – Só existe uma coisa de maior importância para os seres humanos: pensar com exatidão. Pensar com exatidão vem primeiro porque é a solução para todos os problemas, a resposta para todas as orações, a fonte da opulência e de todas as posses materiais. O pensamento exato é auxiliado pela emoção do sexo controlada e direcionada, porque a mesma energia que o homem usa para pensar também usa para o sexo. Ninguém consegue ser inteiramente livre – espiritual, mental, física e economicamente – sem aprender a arte do pensamento exato. Ninguém consegue aprender a pensar com exatidão sem incluir como parte do conhecimento necessário informações sobre o controle da emoção do sexo mediante transmutação.

P – Fale agora sobre o que a expressão de opiniões tem a ver com autodisciplina.

R – O hábito de expressar opiniões imprecisas e desorganizadas é um dos mais destrutivos. O prejuízo consiste na tendência de influenciar as pessoas a adivinhar em vez de procurar os fatos para formar opiniões, criar ideias ou organizar planos. O hábito desenvolve o que eu chamo de "mente gafanhoto"

– pula de uma coisa para outra, mas não chega a lugar nenhum. E, claro, o descuido na expressão de opiniões que não são baseadas em fatos leva à alienação. Daí é apenas um passo ou dois até sucumbir ao ritmo hipnótico que inibe o pensamento exato.

P – Que outras desvantagens existem na livre expressão de opiniões?

R – A pessoa que fala demais acaba informando ao mundo todos os seus planos e objetivos e fornece aos outros a oportunidade de lucrar com suas ideias. Homens sábios mantêm seus planos para si e evitam expressar opiniões não solicitadas. Isso evita que outros possam se apropriar de suas ideias, bem como dificulta o acesso a seus planos, diminuindo as interferências desnecessárias.

P – Por que tanta gente insiste no hábito de expressar opiniões não solicitadas?

R – Esse hábito é uma manifestação de egocentrismo e vaidade. O hábito da autoexpressão é inerente às pessoas. O motivo é atrair a atenção de outros e impressioná-los favoravelmente. Na verdade, o efeito é o contrário. Quando aquele que se convida a falar atrai a atenção, geralmente ela é desfavorável.

P – Quais as outras desvantagens desse hábito?

R – A pessoa que insiste em falar demais raramente tem a oportunidade de aprender ouvindo outros.

P – Mas um orador com aura magnética não se beneficia ao atrair a atenção de outros?

R – Sim, aquele que tem o dom da fala de fato dispõe de um ativo de tremendo valor, mas não consegue fazer o melhor uso disso se impuser seu discurso a pessoas que não o solicitaram. Nenhuma outra qualidade acrescenta mais à personalidade do que a habilidade de falar com emoção, força e convicção. Mas um orador jamais deve impor seu discurso aos outros.

P – Pessoas que expressam opiniões por escrito também sofrem da falta de autodisciplina?

R – Uma das piores pestes da Terra é a pessoa que escreve cartas para figuras públicas expressando opiniões sobre os mais diversos assuntos.

P – Mas escrever cartas não solicitadas é uma forma inofensiva de prazer pela autoexpressão, não é? Que tipo de dano pode causar esse hábito?

R – Hábitos são contagiosos. Todo hábito atrai um conjunto de hábitos relacionados. O hábito de fazer qualquer coisa inútil leva a outros hábitos inúteis, especialmente ao hábito da alienação. Se você deseja saber o quão idiotas essas pessoas são, confira a seção de cartas dos leitores de qualquer jornal e veja como seus autores atraem a oposição de muitos outros.

APRENDER COM A ADVERSIDADE

P – O fracasso em algum momento é um benefício?

R – Sim. Mas pouca gente sabe que cada adversidade traz consigo a semente de uma vantagem equivalente. Menos gente ainda sabe a diferença entre derrota temporária e fracasso.

P – Mas entendi que o fracasso é um de seus grandes aliados, pois faz com que as pessoas percam a ambição e parem de tentar.

R – Esse é o ponto. Eu assumo o poder no momento em que as pessoas desistem de tentar. Se soubessem a diferença entre derrota temporária e fracasso, se soubessem que derrota e fracasso trazem consigo sementes de oportunidade, se manteriam lutando. O sucesso normalmente está a um passo muito curto do ponto em que se desiste de lutar.

P – Isso é tudo que se pode aprender sobre derrota e fracasso?

R – Não, é o mínimo. Detesto dizer, mas o fracasso normalmente serve como uma bênção disfarçada, pois quebra o padrão do ritmo hipnótico e faz com que a mente se liberte para um novo começo em outra direção. O fracasso prova que algo está errado com os objetivos e planos. Faz com que a pessoa crie um novo ritmo para sua vida. Mais do que isso: dá ao indivíduo uma oportunidade de testar sua força de vontade. O fracasso normalmente leva a pessoa a entender a força da autodisciplina, sem a qual ninguém poderia voltar atrás após cair vítima do ritmo hipnótico. Estude a vida de todos que atingiram resultados fantásticos em qualquer ramo de atividade e observe que o sucesso geralmente é proporcional às experiências de derrota e fracasso vivenciadas antes de serem bem-sucedidos.

P – Se há possíveis benefícios a serem encontrados na adversidade, nomeie-os.

R – A adversidade livra as pessoas da vaidade e do egocentrismo. Desencoraja o egoísmo, provando que ninguém pode ser bem-sucedido sem a cooperação de outros. Obriga o indivíduo a testar sua força mental, física e espiritual; portanto, deixa-o face a face com suas fraquezas e dá a oportunidade de transpô-las. A adversidade força a busca de caminhos e meios para fins definidos por intermédio da meditação e do pensamento introspectivo. Isso em geral leva à descoberta e ao uso do sexto sentido, com o qual a pessoa consegue comunicar-se com a Inteligência Infinita. A adversidade força a pessoa a reconhecer a necessidade de uma inteligência que não está disponível dentro de sua mente, mas que provém de fontes externas. A adversidade quebra velhos hábitos de pensamento e dá a oportunidade de se formarem novos hábitos; por isso, pode servir para quebrar o ciclo do ritmo hipnótico e mudar seu funcionamento de negativo para positivo.

P – Em outras palavras, o fracasso é sempre uma bênção quando força a pessoa a adquirir conhecimento ou construir hábitos que levam à realização de seus maiores objetivos de vida. Correto?

R – Sim, e tem mais. O fracasso é uma bênção quando força o indivíduo a depender menos das forças materiais e mais das forças espirituais. Muitos seres humanos descobrem seus "outros eus" – as forças que operam pelo poder do pensamento – somente após alguma catástrofe privá-los do livre e total uso do corpo físico. Quando um homem não consegue mais usar suas mãos e pés, geralmente começar a usar o cérebro; assim entra no caminho de descobrir o poder da própria mente.

P – Quais benefícios são obtidos a partir da perda de coisas materiais – dinheiro, por exemplo?

R – A perda de coisas materiais pode ensinar muitas lições necessárias, contudo, nenhuma tão grande quanto a de que o homem não tem controle sobre nada e de que não tem certeza do uso permanente de qualquer coisa, exceto do poder do seu pensamento.

P – A adversidade não é um agente potencial para quebrar a autoconfiança e levar à desesperança?

R – Ela tem esse efeito naqueles cuja força de vontade é fraca devido ao hábito da alienação. Tem efeito oposto em todos que não foram enfraquecidos pela alienação. O não alienado esbarra com o fracasso e com a derrota temporária, mas sua reação a todas as formas de adversidade é positiva. Ele luta em vez de desistir. E acaba ganhando. A vida não fornece imunidade contra a adversidade, mas proporciona a todos o poder do pensamento positivo, que é suficiente para dominar todas as circunstâncias adversas e convertê-las em benefícios. O indivíduo tem a prerrogativa e o privilégio de usar ou negligenciar o direito de pensar apropriadamente para transpor as adversidades. Todo indivíduo é forçado tanto a usar o poder do pensamento para fins positivos e definidos como para ser negligente e usar esse poder para fins negativos. Não existe acordo nem recusa para o uso da mente. A lei do ritmo hipnótico força cada indivíduo a dar uso, negativo ou positivo, para sua mente, mas não influencia quanto ao que ele fará.

P – Pelo que entendo do que Vossa Majestade disse, toda adversidade é uma bênção?

R – Não, eu não disse isso. Eu disse que em cada adversidade existe a semente de uma vantagem equivalente. Eu não disse que existe uma flor desabrochada de vantagem, apenas a semente. Geralmente a semente consiste em alguma forma de conhecimento, ideia, plano ou oportunidade não disponível exceto pela mudança dos hábitos de pensamento forçada pela adversidade.

AMBIENTE, TEMPO, HARMONIA E PRECAUÇÃO

P – Qual dos sete princípios vem a seguir?

R – A influência do ambiente ou meio, que consiste em todas as forças mentais, espirituais e físicas que afetam e influenciam os seres humanos.

P – Qual aspecto do meio que mais determina o uso positivo ou negativo da mente?

R – As associações com outras pessoas. Todos absorvem consciente ou inconscientemente os hábitos de pensamento dos associados mais íntimos.

P – Quer dizer que o contato constante com alguém com pensamento negativo influencia na formação de hábitos de pensamento negativo?

R – Sim, a lei do ritmo hipnótico força cada ser humano a formar hábitos de pensamento que se harmonizem com as influências dominantes do meio, principalmente aquelas criadas pela associação com outras mentes.

P – Então é importante selecionar os associados?

R – Sim, os associados próximos devem ser pessoas cujos pensamentos dominantes sejam positivos, amigáveis e harmoniosos.

P – Quais associados têm maior influência?

R – O cônjuge e os parceiros profissionais. Depois os amigos íntimos e os conhecidos.

P – Por que o cônjuge exerce tamanha influência?

R – Porque o casamento traz as pessoas à influência das mesmas forças espirituais, de tal modo que estas se tornam as forças dominantes em suas mentes.

P – Que pessoas conseguem ter controle sobre as influências do meio?

R – As não alienadas. As vítimas da alienação perdem o poder de escolher o próprio ambiente. Tornam-se vítimas de todas as influências negativas do meio.

P – Existe alguma maneira de um alienado poder usufruir das influências de um ambiente positivo?

R – Sim. Pode parar de se alienar, assumir o controle da própria mente e escolher um ambiente que inspire pensamentos positivos. Isso ocorre com a definição de propósito.

P – Qual o procedimento mais efetivo para se estabelecer um ambiente útil ao desenvolvimento e manutenção do hábito do pensamento positivo?

R – O mais efetivo é criar uma aliança amigável em que as pessoas auxiliem umas às outras a alcançar um objetivo definido. Esse tipo de aliança é conhecido como MasterMind. O MasterMind consiste na associação de indivíduos cuidadosamente escolhidos, dotados de algum conhecimento, experiência, educação, plano ou ideia para fazer com que o objetivo de cada um seja atingido. Os líderes mais bem-sucedidos buscam o auxílio dessa influência do meio.

P – A responsabilidade com os parentes torna impossível evitar influências negativas do meio?

R – Nenhum ser humano tem qualquer grau de responsabilidade em relação a outros quando isso pode roubar seu privilégio de construir hábitos de pensamento positivo. Por outro lado, todo ser humano tem o dever de remover de seu ambiente toda e qualquer influência que possa remotamente desenvolver hábitos de pensamento negativo.

P – O que estabelece os hábitos de pensamento?

R – Os hábitos de pensamento são estabelecidos por desejos inerentes ou adquiridos. Pensamentos dominantes, que agem pela lei do ritmo hipnótico, são aqueles mesclados aos desejos mais profundos e intensos. Hábitos de pensamento são estabelecidos pela repetição dos pensamentos.

P – Quais desejos mais inspiram o pensamento?

R – Os desejos mais comuns são desejo por sexo e amor, por alimento, por autoexpressão espiritual, mental e física, pela perpetuação da vida após a morte, de poder sobre os outros, de riquezas materiais, de conhecimento, de imitar os outros, de se sobressair sobre os outros e os sete medos básicos.

P – E os desejos negativos, tais como ganância, inveja, avareza, ciúme e rancor?

R – Todos os desejos negativos não são nada exceto frustrações de desejos positivos. São inspirados por alguma forma de derrota, fracasso ou negligência em se adaptar às leis da natureza de forma positiva.

P – Vamos ao seguinte dos sete princípios.

R – O princípio seguinte é o tempo, a quarta dimensão. O tempo divide os hábitos de pensamento em negativos e positivos. Os pensamentos de um indivíduo estão constantemente se modificando e recombinando para se adequar a seus desejos, mas os hábitos não mudam de positivo para negativo, ou vice-versa, exceto mediante esforço voluntário. Se os pensamentos dominantes de uma pessoa são negativos, o tempo a penaliza construindo em sua mente o hábito do pensamento negativo. Os pensamentos positivos são da mesma forma construídos pelo tempo e acabam tornando-se hábitos permanentes. O termo "permanência", é claro, refere-se à vida natural do indivíduo. Literalmente falando, nada é permanente. O tempo converte hábitos de pensamento naquilo que pode ser chamado de permanente durante a vida do indivíduo.

P – Quais as outras características do tempo em conexão com o destino dos seres humanos?

R – O tempo é o elemento com o qual as experiências podem ser amadurecidas em sabedoria. As pessoas não nascem com sabedoria, mas nascem com a capacidade de pensar e podem, com o tempo, chegar à sabedoria pelos seus pensamentos.

P – O que é sabedoria?

R – Sabedoria é a habilidade de se relacionar com as leis da natureza de tal forma que possam servi-lo e a habilidade de se relacionar com os outros de tal forma que você possa obter deles a cooperação harmoniosa e consciente para ajudá-lo a conseguir qualquer coisa que queira da vida.

P – Conhecimento acumulado não é sabedoria?

R – Não. Se fosse, as realizações da ciência não seriam convertidas em instrumentos de destruição.

P – O que é necessário para converter conhecimento em sabedoria?

R – Tempo e desejo por sabedoria. A sabedoria nunca pode ser imposta; é adquirida por esforço voluntário.

P – O tempo modifica os valores do conhecimento?

R – Sim. Aquilo que é conhecimento apurado hoje pode se tornar nulo e inválido amanhã devido ao rearranjo do tempo, dos fatos e dos valores.

P – Descreva os dois últimos dos sete princípios.

R – O princípio seguinte é a harmonia. A natureza força tudo o que estiver dentro de determinado ambiente a se relacionar de forma harmoniosa.

P – A natureza força os seres humanos a se harmonizar com as influências de seu meio?

R – Sim. A lei do ritmo hipnótico impõe a cada ser humano as influências dominantes do ambiente em que ele vive.

P – Se a natureza força os humanos a sofrer a influência do ambiente em que vivem, como podem escapar de um ambiente de fracasso e pobreza?

R – Eles devem se mudar imediatamente desse ambiente ou permanecerão orientados e envoltos pela pobreza. A natureza não permite que ninguém escape das influências de seu ambiente, mas concede a cada ser humano o privilégio de estabelecer o próprio ambiente mental, espiritual e físico. Entretanto, uma vez que tenha escolhido seu ambiente, o indivíduo acabará se tornando parte dele. Esse é o funcionamento inexorável da lei da harmonia.

P – Em uma associação de pessoas, quem estabelece a influência dominante do ambiente?

R – O indivíduo ou indivíduos que pensam e agem com definição de propósito.

P – O mundo é dividido por guerras, crises econômicas e outras formas de rixas que podem representar qualquer coisa, exceto harmonia. A natureza não parece estar forçando as pessoas a

se harmonizar. Como Vossa Majestade explica essa inconsistência?

R – Não há inconsistência. As influências dominantes no mundo são, como você diz, negativas. Muito bem, a natureza está forçando os seres humanos a se harmonizar com as influências dominantes do ambiente mundial. Manifestações de harmonia podem ser tanto positivas quanto negativas. Harmonia aqui quer dizer que a natureza inter-relaciona todas as coisas que são semelhantes. Influências negativas são forçadas a se associar umas às outras, assim como influências positivas se associam umas às outras.

P – Por isso líderes de negócios bem-sucedidos são tão cuidadosos na escolha de associados que pensem e ajam em termos de sucesso.

R – Essa é a ideia. A única coisa que homens bem-sucedidos exigem é a harmonia entre seus associados. Outra característica de pessoas bem-sucedidas é se movimentar com definição de propósito e insistir para que seus associados façam o mesmo.

P – Agora fale sobre o último dos sete princípios.

R – O último princípio é cautela. As pessoas alienam-se em todos os tipos de circunstâncias danosas por não exercer a cautela, por não planejar os movimentos. O alienado sempre se move sem cautela. Age primeiro e pensa depois, se é que pensa. Não escolhe seus amigos. Aliena-se e permite que pessoas se liguem a ele nos termos delas. Não escolhe uma ocupação. Aliena-se na escola e fica satisfeito quando consegue o primeiro emprego que garanta apenas alimentação e agasalho. Convida as pessoas a enganá-lo nos negócios por não se informar das regras. Convida a doença, negligenciando quanto a informar-se das regras para uma saúde perfeita. Convida a pobreza por negligenciar quanto a proteger-se contra as influências do ambiente daqueles que são orientados para a pobreza. Convida o fracasso por negligenciar a cautela em observar o que faz com que as pessoas fracassem. Convida o medo pela falta de cautela em examinar as causas do medo. Fracassa no casamento porque não tem cautela na escolha do cônjuge e usa ainda menos cautela nos métodos de se relacionar após o casamento. Perde os amigos ou os converte em inimigos devido à falta de cautela em se relacionar com eles de maneira adequada.

P – Está faltando cautela para todas as pessoas?

R – Não. Apenas para quem adquiriu o hábito da alienação. O não alienado sempre age com cautela. Pensa cuidadosamente em todos os passos dos seus planos antes de começar. Prepara-se para as fragilidades dos associados e planeja de antemão como enfrentá-las. Cuida de todos os detalhes, mesmo daqueles que parecem sem importância, e utiliza a cautela como meio de garantir o sucesso.

P – Cautela excessiva não é tão prejudicial quanto falta de cautela?

R – Não existe cautela excessiva. O que você chama de cautela excessiva na verdade é medo. Medo e cautela são coisas totalmente diferentes.

P – As pessoas confundem medo com cautela excessiva?

R – Sim, às vezes, mas a maioria cria muito mais desastres e situações danosas para suas vidas pela total falta, e não pelo excesso de cautela.

P – Qual a forma mais vantajosa de se utilizar a cautela?

R – Na seleção dos associados e dos métodos de se relacionar com eles. A razão é óbvia. Os associados constituem a parte mais importante do ambiente, e as influências do ambiente determinam se a pessoa se torna uma não alienada ou se forma o hábito da alienação. Aquele que exercita a cautela na escolha dos associados nunca se permite ficar íntimo de qualquer pessoa que não lhe traga alguma forma definida de benefício mental, espiritual ou econômico.

P – Esse método de escolher associados não seria egoísta?

R – É um método sensato que leva à autodeterminação. O desejo de qualquer pessoa normal é encontrar sucesso material e felicidade. Nada contribui mais para o sucesso e a felicidade do que a escolha cuidadosa dos associados. A cautela na seleção dos associados torna-se, por isso, a missão de todo aquele que queira ser feliz e bem-sucedido. O alienado permite que seus associados mais próximos se liguem a ele nos termos deles. O não alienado escolhe os associados com cuidado e não permite que ninguém se torne íntimo sem que contribua com alguma influência útil ou benéfica.

Resumo

Se fosse tentar resumir em uma frase a ideia mais importante deste livro, seria algo do tipo:

> Os desejos dominantes podem ser cristalizados nos seus equivalentes físicos mediante a definição de propósito amparada por planos definidos, com a cooperação da lei natural do ritmo hipnótico e do tempo.

Os benefícios que você obterá desta entrevista serão na exata proporção do pensamento que ela inspirar. Você tem que pensar e chegar às próprias conclusões. Você é o juiz, o jurado, o advogado de defesa e de acusação. Se não vencer o caso, a perda e a causa da perda serão somente suas.

Epílogo

Uma noite, um velho índio cherokee contou ao seu neto sobre uma luta que estava a acontecer dentro dele. Ele disse: "Meu filho, esta luta é entre dois lobos. Um é mau: raiva, inveja, ganância, medo, arrogância, desespero, autopiedade, mentira, sentimento de inferioridade, culpa, orgulho e ego. O outro é bom: alegria, coragem, paz, autodeterminação, serenidade, humildade, bondade, empatia, verdade, compaixão e fé". O neto, ouvindo tudo atentamente, então perguntou ao avô: "Qual dos lobos vence?". O velho cherokee respondeu simplesmente: "Aquele que eu alimento".

Muito já se escreveu sobre a batalha entre o bem e o mal. Mesmo com toda a tecnologia de hoje, permanecemos com os questionamentos do passado:

quem somos? De onde viemos? O que estamos fazendo aqui? Para onde vamos?

Perguntas simples, mas que, mesmo se colocássemos todos os maiores computadores do mundo lado a lado, não conseguiríamos decifrar. Procuramos sem cessar por respostas. Na verdade, internamente somos peritos em grandes questionamentos e na maior parte das vezes buscamos as soluções externamente, seja nas religiões, nas filosofias de vida, seja nos cultos dos mais variados tipos.

Napoleon Hill decidiu buscar respostas com ninguém menos do que o Diabo. Independentemente de nossa religião, culto ou filosofia, o Diabo mexe com nossa imaginação e nos faz parar e refletir sobre sua real natureza. O Diabo efetivamente existe? Quem o alimenta? Não seria o nosso ego, que busca incessantemente pela nossa valorização momentânea em detrimento do verdadeiro ganho da virtude?

A alienação hoje ocorre não apenas com os meios descritos no livro, que data de 1938, mas também com novos e poderosos instrumentos que o Diabo utiliza para alcançar os seus objetivos: as drogas, a internet, os videogames, os aplicativos de celular e tudo o que a tecnologia trouxe de informação e comodidade ao alcance fácil de nossos dedos. Outrossim, nunca estivemos tão afastados de nós mesmos digerindo nossa mais nova ingestão tecnológica.

Com relação às pessoas, conhecemos profundamente o perfil dos nossos principais amigos nas redes sociais, mas participamos cada vez menos do que se passa de verdade no coração e na mente dessas pessoas. Pode existir maior alienação do que essa? Nos afogamos em meio à modernização e parece que o bote salva-vidas está longe, cada vez mais longe de nosso alcance.

Caminhamos com muita pressa e utilizamos a mais alta tecnologia para saber de coisas que, no passado, saberíamos meses depois, quem sabe anos... Mas ainda temos o mapa que pode nos colocar no verdadeiro caminho da autorrealização, e esse mapa está no lugar menos procurado hoje em dia: nossa mente e nosso coração.

Qual a maior armadilha do Diabo para o homem? Sem dúvida, plantar na sua mente a incerteza de sua existência. Fracasso e sucesso também são armadilhas mentais, pois provêm dos pensamentos dominantes, que acabam se tornando aquilo que mais desejamos.

Analisando a lei do ritmo hipnótico, que também pode ser considerada a lei da inércia da vida, temos que os nossos pensamentos dominantes acabam por se tornar equivalentes físicos no nosso cotidiano. Ou seja, se cultivamos a mente encoberta pelo medo, pela culpa e pela dúvida, acabamos tendo atitudes relacionadas a esses sentimentos e não precisamos ser *experts* para saber que tipo de resultados alcançaremos. Ao passo que, se cultivarmos a mente preenchida com pensamentos de fé, coragem, gratidão e alegria, com certeza chegaremos aos resultados a que aspiramos.

O desafio é como conseguir isso... Parece fácil manter a mente positiva, mas o dia a dia nos mostra o quanto de nossa atenção permanece focado em coisas que na verdade não correspondem à estratégia principal do nosso sonho.

Os problemas que aparecem em nossas vidas tomam boa parte de nosso tempo e acabam por fazer com que desviemos nossa atenção para aquém de nossa meta principal. Aprendemos que devemos planejar, planejar e, quando estiver tudo planejado, devemos planejar mais ainda. Entretanto, isso leva à concretização de nossas metas? Ou seria mais inteligente estabelecermos um objetivo principal e aproveitarmos todas as oportunidades que aparecem em nosso caminho?

Já dizia Zoroastro: "Conhece-te a ti mesmo e conhecerás a Deus e a todo o universo". O verdadeiro sentido da vida, que vem sendo buscado pelos maçons, rosa-cruzes, illuminati e demais ordens e religiões de todo o universo, certamente não está impresso em nenhum livro, mas aqueles que tiverem a coragem de vencer seus medos e se arriscar na aventura da busca pessoal provavelmente encontrarão a verdade. E ela, por certo, estará mais perto do que jamais imaginaram. Seja qual for o mapa utilizado para encontrar o caminho, a Bíblia, a Torá, o Alcorão, os Vedas ou todos os demais livros sagrados das religiões, não podemos esquecer nunca que eles são somente o mapa, e não o território, e que a mensagem é muito mais importante que o fato histórico. A mensagem contém em si a sua própria verdade. Entretanto, ela somente passa a ter real existência se for praticada e se servir para fazer com que todos os homens e mulheres deste mundo possam viver o pleno sucesso. Que, por sua vez, não se trata de acumulação de riquezas materiais, mas sim do tributo à alegria, à simplicidade e à tão desejada paz de espírito.

Este livro foi um presente deixado por Napoleon Hill ao mundo. Ficou 73 anos escondido por motivos não tão bem esclarecidos, mas o fato é que a mensagem é viva, e cabe a cada um de nós interpretá-la baseados em nossas experiências de vida. Quando perguntaram a Napoleon Hill se a entrevista havia sido efetivamente feita com a presença do Diabo, ele respondeu: "Após a leitura do livro, cabe a cada um tirar as próprias conclusões. Mais ouro já foi extraído dos pensamentos dos homens e mulheres deste mundo do que de todas as minas existentes em todos os tempos no planeta Terra".

Faça a sua parte! Faça deste livro seu livro de cabeceira e dê um exemplar de presente àquela pessoa que você mais estima.

Que assim seja!
Sincera e fraternalmente,
M. Conte Jr.

CONHEÇA NOSSOS TÍTULOS EM PARCERIA COM A FUNDAÇÃO NAPOLEON HILL

MAIS ESPERTO QUE O DIABO
Napoleon Hill

Fascinante, provocativo e encorajador, *Mais esperto que o Diabo* mostra como criar a senda para o sucesso, a harmonia e a realização em meio a incertezas e medos.

ATITUDE MENTAL POSITIVA
Napoleon Hill

Sua mente é um talismã com as letras AMP de um lado e AMN de outro. AMP, a atitude mental positiva, atrairá sucesso e prosperidade. AMN, a atitude mental negativa, vai privá-lo de tudo que torna a vida digna de ser vivida. Seu sucesso, saúde, felicidade e riqueza dependem do lado do talismã que você usar.

QUEM PENSA ENRIQUECE – O LEGADO
Napoleon Hill

O clássico *best-seller* sobre o sucesso agora anotado e acrescido de exemplos modernos, comprovando que a filosofia da realização pessoal de Napoleon Hill permanece atual e ainda orienta aqueles que são bem-sucedidos. Um livro que vai mudar não só o que você pensa, mas também o modo como você pensa.

A ESCADA PARA O TRIUNFO

Napoleon Hill

Um excelente resumo dos dezessete pilares da Lei do Triunfo, elaborada pelo pioneiro da literatura de desenvolvimento pessoal. É um fertilizador de mentes, que fará com que a sua mente funcione como um ímã para ideias brilhantes.

A CIÊNCIA DO SUCESSO

Napoleon Hill

Uma série de artigos do homem que mais influenciou líderes e empreendedores no mundo. Ensinamentos sobre a natureza da prosperidade e como alcançá-la, no estilo envolvente do consagrado escritor motivacional.

MAIS QUE UM MILIONÁRIO

Don M. Green

Don M. Green, diretor executivo da Fundação Napoleon Hill, apresenta de forma simples e didática todos os ensinamentos da Lei do Sucesso que aplicou em sua vida.

O PODER DO MASTERMIND
Mitch Horowitz

Com este manual você vai aprender a construir o MasterMind, a mente mestra, um inconsciente coletivo de abundância. Precioso para iniciantes e, se você já tem algum grau de experiência com o MasterMind, uma excelente leitura de apoio e renovação, com técnicas que poderão ser testadas no seu grupo.

O MANUSCRITO ORIGINAL
Napoleon Hill

A obra-prima de Napoleon Hill, na qual ele apresenta em detalhes a Lei do Sucesso. Neste marco da literatura motivacional, Hill explica didaticamente como escolher o objetivo principal de vida e pensar e agir focado na realização de metas.

PENSE E ENRIQUEÇA PARA MULHERES
Sharon Lechter

A autora apresenta os ensinamentos de Napoleon Hill com relatos inspiradores de mulheres bem-sucedidas e suas iniciativas para superar obstáculos, agarrar oportunidades, definir e atingir metas, concretizar sonhos e preencher a vida com sucesso profissional e pessoal.

PENSO E ACONTECE
Greg S. Reid e Bob Proctor

Proctor e Reid exploram a importância vital da forma de pensar para uma vida de significado e sucesso. A partir de entrevistas com neurocientistas, cardiologistas, professores espirituais e líderes empresariais, explicam como pensar melhor para viver melhor.

QUEM CONVENCE ENRIQUECE
Napoleon Hill

Saiba como utilizar o poder da persuasão na busca da felicidade e da riqueza. Aprenda mais de 700 condicionadores mentais que vão estimular seus pensamentos criativos e colocá-lo na estrada da riqueza e da felicidade – nos negócios, no amor e em tudo que você faz.

COMO AUMENTAR O SEU PRÓPRIO SALÁRIO
Napoleon Hill

Registro de uma série de conversas entre Napoleon Hill e seu mentor, o magnata do aço Andrew Carnegie, um dos homens mais ricos da história. Em formato pergunta–resposta, apresenta em detalhes os princípios que Carnegie utilizou para construir seu império.

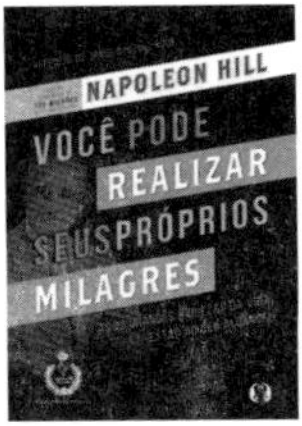

VOCÊ PODE REALIZAR SEUS PRÓPRIOS MILAGRES

Napoleon Hill

O autor revela o sistema de condicionamento mental que auxilia no domínio de circunstâncias indesejáveis, como dor física, tristeza, medo e desespero. Esse sistema também prepara o indivíduo para adquirir todas as coisas de que necessite ou deseje, tais como paz mental, autoentendimento, prosperidade financeira e harmonia em todas as relações.

THINK AND GROW RICH

Napoleon Hill

Um dos livros mais influentes da história, apresenta a fórmula para acumular fortuna e comprova que a receita do sucesso é atemporal. Uma produção brasileira para amantes da literatura norte-americana e para quem deseja aperfeiçoar seu inglês com conteúdo enriquecedor.